Libro de cocina para diabéticos

Recetas fáciles y sabrosas para todos los días, Deliciosas y encantadoras recetas para diabéticos para revertir la diabetes y mejorar la salud general del cuerpo

ÍNDICE DE CONTENIDOS

Té helado de limón y lavanda

Tiempo de preparación: 15 minutos
Tiempo de cocción: 0 minutos
Porción: 4
Ingredientes:

- 2 bolsas de té rooibos natural sin sabor

- 2 onzas de trozos de limón sin cáscara ni médula, sin semillas

- 1 cucharadita de flores de lavanda secas colocadas en una bola de té

- 4 tazas de agua, a temperatura ambiente

- 20-40 gotas de stevia líquida

Direcciones
1.Coloca las bolsitas de té, los trozos de limón y la bola de té bien cerrada con las flores de lavanda en una jarra de 1,5 qt (1,5 l).
2.Vierta el agua.
3.Refrigerar durante la noche.
4.Retira las bolsitas de té, los trozos de limón y la bola de té con la lavanda al día siguiente. Exprime las bolsitas de té suavemente para guardar todo el líquido posible.
5.Añadir stevia líquida al gusto y remover hasta que esté bien mezclado.
6.Servir inmediatamente con cubitos de hielo y trozos de limón.
La nutrición:
81 calorías
12g de carbohidratos
3g de proteínas

Té helado de cereza y vainilla

Tiempo de preparación: 12 minutos
Tiempo de cocción: 0 minutos
Porción: 4
Ingredientes:

- 4 bolsas de té rooibos natural sin sabor

- 4 tazas de agua hirviendo

- 2 cucharadas de zumo de lima recién exprimido

- 1-2 cucharadas de aroma de cereza

- 30-40 gotas (o al gusto) de stevia líquida de vainilla

Direcciones
1.Coloca las bolsitas de té en la tetera y vierte el agua hirviendo sobre las bolsitas.
2.Poner a un lado el té para que se enfríe primero, luego refrigerar el té hasta que esté helado.
3.Saque las bolsas de té. Exprímalas ligeramente.
4.Añade el zumo de lima, el aroma de cereza y la stevia de vainilla y remueve hasta que esté bien mezclado.
5.Servir inmediatamente, preferiblemente con cubitos de hielo y alguna guarnición agradable como gajos de lima y cerezas frescas.
La nutrición:
89 Calorías
14g Carbohidratos
2g de proteínas

Elegante té helado de agua de rosas y arándanos

Tiempo de preparación: 12 minutos
Tiempo de cocción: 0 minutos
Porción: 4
Ingrediente:

- 2 bolsas de té de hierbas de arándanos

- 4 tazas de agua hirviendo

- 20 gotas de stevia líquida

- 1 cucharada de agua de rosas

Direcciones
1.Coloca las bolsitas de té en la tetera y vierte el agua hirviendo sobre las bolsitas.
2.Deje que el té se enfríe primero y luego refrigere el té hasta que esté helado.
3.Retire las bolsas de té. Apriételas suavemente.
4.Añade la stevia líquida y el agua de rosas y remueve hasta que esté bien mezclado.
5.Servir inmediatamente, preferiblemente con cubitos de hielo y alguna guarnición agradable, como arándanos frescos o pétalos de rosa naturales
La nutrición:
75 calorías
10g Carbohidratos
2g de proteínas

Té helado Melba

Tiempo de preparación: 10 minutos
Tiempo de cocción: 0 minutos
Porción: 4
Ingredientes:

- 1 bolsa de infusión de frambuesa

- 1 bolsa de té de hierbas de melocotón

- 4 tazas de agua hirviendo

- 10 gotas de stevia líquida de melocotón

- 20-40 gotas (o al gusto) de stevia líquida de vainilla

Direcciones
1.Vierte el agua hirviendo sobre las bolsitas de té.
2.Deja que el té se enfríe a temperatura ambiente y luego refrigéralo hasta que esté helado.
3.Retire las bolsas de té. Presione ligeramente.
4.Añadir la stevia de melocotón y remover hasta que esté bien mezclado.
5.Añade la stevia de vainilla al gusto y remueve hasta que esté bien mezclado.
6.Servir inmediatamente, preferiblemente con cubitos de hielo y alguna guarnición agradable, como una vaina de vainilla, frambuesas frescas o rodajas de melocotón.
La nutrición:
81 calorías
14g Carbohidratos
4g de proteínas

Té helado de frambuesa y cereza

Tiempo de preparación: 11 minutos
Tiempo de cocción: 0 minutos
Porción: 4
Ingredientes:

- 2 bolsas de té de hierbas de frambuesa

- 4 tazas de agua hirviendo

- 1 cucharadita de mezcla para bebidas con sabor a cereza endulzada con stevia

- 1 cucharadita de zumo de lima recién exprimido

- 10-20 gotas (o al gusto) de stevia líquida

Direcciones
1.Poner las bolsitas de té en la tetera y llenar de agua hirviendo las bolsitas.
2.Deja que el té se enfríe primero a temperatura ambiente, y luego enfríalo hasta que esté helado.
3.Deseche las bolsas de té. Exprímalas.
4.Añade la mezcla de bebida con sabor a cereza y el zumo de lima y remueve hasta que la mezcla de bebida se disuelva.
5.Añadir stevia líquida al gusto y remover hasta que esté bien mezclado.
6.Servir inmediatamente, preferiblemente con cubitos de hielo o hielo picado y alguna guarnición agradable, como frambuesas y cerezas frescas.
La nutrición:
82 calorías
11g de carbohidratos
4g de proteínas

Té helado de melocotón con beso de vainilla

Tiempo de preparación: 13 minutos
Tiempo de cocción: 0 minutos
Porción: 4
Ingredientes:

- 2 bolsas de té de hierbas de melocotón

- 4 tazas de agua hirviendo

- 1 cucharadita de extracto de vainilla

- 1 cucharadita de zumo de limón recién exprimido

- 30-40 gotas (o al gusto) de stevia líquida

Direcciones
1.Poner en remojo las bolsitas de té en agua hirviendo.
2.Dejar enfriar a temperatura ambiente y luego refrigerar el té hasta que esté helado.
3.Retire y presione las bolsas de té.
4.Añadir el extracto de vainilla y el zumo de limón y remover hasta que esté bien mezclado.
5.Añadir stevia líquida al gusto y remover hasta que esté bien mezclado.
6.Servir inmediatamente, preferiblemente con cubitos de hielo y alguna guarnición agradable, como rodajas de melocotón.
La nutrición:
88 calorías
14g Carbohidratos
3g de proteínas

Té helado de bayas Xtreme

Tiempo de preparación: 10 minutos
Tiempo de cocción: 0 minutos
Porción: 4
Ingredientes:

- 2 bolsas de té de hierbas de bayas silvestres

- 4 tazas = 950 ml de agua hirviendo

- 2 cucharaditas de zumo de lima recién exprimido

- 40 gotas de stevia líquida con sabor a bayas

- 10 gotas (o al gusto) de stevia líquida

Direcciones
1.Sumergir las bolsas de té en el agua hirviendo.
2.Dejar enfriar y luego refrigerar el té hasta que esté helado.
3.Saca las bolsas de té. Aprieta.
4.Añade el zumo de lima y la stevia de bayas y remueve hasta que esté bien mezclado.
5.Añadir stevia líquida al gusto y remover hasta que esté bien mezclado.
6.Servir inmediatamente.
La nutrición:
76 calorías
14g Carbohidratos
4g de proteínas

Té helado de menta refrescante

Tiempo de preparación: 15 minutos
Tiempo de cocción: 0 minutos
Servir: 5
Ingredientes:

- 4 bolsas de té de menta

- 4 tazas = 950 ml de agua hirviendo

- 2 cucharaditas de mezcla para bebidas con sabor a lima endulzada con stevia

- 1 taza = 240 ml de agua con gas helada

Direcciones
1.Sumergir las bolsitas de té en agua hirviendo.
2.Reservar antes de enfriar hasta que esté helado.
3.Saque las bolsas de té y luego presione.
4.Añade la mezcla de bebida con sabor a lima y remueve hasta que esté bien disuelta.
5.Añadir el agua con gas y remover muy suavemente.
6.Servir inmediatamente, preferiblemente con cubitos de hielo, hojas de menta y trozos de lima.
La nutrición:
78 calorías
17g Carbohidratos
4g de proteínas

Té helado de menta y hierba de limón

Tiempo de preparación: 12 minutos
Tiempo de cocción: 0 minutos
Porción: 4
Ingredientes:

- 1 tallo de hierba limón, picado en 1 pulgada

- 1/2 taza de ramitas de menta picadas y sin apretar

- 4 tazas de agua hirviendo

Direcciones
1.Poner la hierba de limón y la menta en una tetera y verter el agua hirviendo sobre ellas.
2.Dejar enfriar primero a temperatura ambiente y luego refrigerar hasta que el té esté helado.
3.Filtra la hierba de limón y la menta.
4.Añade stevia líquida de vainilla al gusto si prefieres algo de dulzor y remueve hasta que esté bien mezclado.
5.Servir inmediatamente, preferiblemente con cubitos de hielo y alguna guarnición agradable, como ramitas de menta y tallos de hierba de limón.
La nutrición:
89 Calorías
17g Carbohidratos
5g de proteínas

Té con especias

Tiempo de preparación: 8 minutos
Tiempo de cocción: 0 minutos
Porción: 4
Ingredientes:

- 2 bolsas de té Bengal Spice

- 2 cucharaditas de zumo de limón recién exprimido

- 1 paquete de stevia de vainilla sin carbohidratos

- 1 paquete de stevia sin carbohidratos

- 4 tazas de agua hirviendo

Direcciones
1.Poner las bolsitas de té, el zumo de limón y la stevia en la tetera.
2.Verter el agua hirviendo.
3.Reservar para que se enfríe a temperatura ambiente y luego refrigerar.
4.Retira las bolsas de té y luego exprímelas.
5.Remover suavemente.
6.Servir inmediatamente, preferiblemente con cubitos de hielo o hielo picado y algunas cuñas o rodajas de limón.
La nutrición:
91 calorías
16g Carbohidratos
1g de proteína

Café con especias de calabaza infusionado

Tiempo de preparación: 11 minutos
Tiempo de cocción: 0 minutos
Porción: 2
Ingredientes:

- 2 tazas de leche de almendras

- ¼ de taza de crema de coco

- 2 cucharaditas de aceite de coco de cannabis

- ¼ de taza de calabaza pura, enlatada

- ½ cucharadita de extracto de vainilla

- 1 ½ cucharadita de especia de calabaza

- ½ taza de crema batida de coco

- 1 pizca de sal

Dirección:
1.Poner todos los ingredientes, excepto la nata montada de coco, en una sartén a fuego medio-bajo.
2.Batir bien y dejar cocer a fuego lento pero sin que llegue a hervir.
3.Cocer a fuego lento durante unos 5 minutos.
4.Verter en tazas y servir.
La nutrición:
94 calorías
17g Carbohidratos
3g de proteínas

Té de infusión de cúrcuma y jengibre

Tiempo de preparación: 9 minutos
Tiempo de cocción: 0 minutos
Porción: 1
Ingredientes:

- 1 taza de agua

- ½ taza de leche de coco

- 1 cucharadita de aceite de cannabis

- ½ cucharadita de cúrcuma molida

- ¼ de taza de raíz de jengibre fresco, en rodajas

- 1 pizca de Stevia o jarabe de arce, al gusto

Dirección:
1.Combine todos los ingredientes en una cacerola pequeña a fuego medio.
2.Calentar hasta que hierva a fuego lento y bajar el fuego.
3.Retire la sartén del fuego después de 2 minutos
4.Deja que se enfríe, cuela la mezcla en una taza o un vaso.
La nutrición:
98 calorías
14g Carbohidratos
2g de proteínas

Niebla de Londres infundida

Tiempo de preparación: 17 minutos
Tiempo de cocción: 0 minutos
Porción: 2
Ingredientes:

- 1 taza de agua caliente

- 1 bolsita de té Earl Grey

- 1 cucharadita de aceite de coco de cannabis

- ¼ de taza de leche de almendras

- ¼ de cucharadita de extracto de vainilla

- 1 pizca de Stevia o azúcar, al gusto

Dirección:
1.Llena media taza con agua hirviendo.
2.Añade la bolsita de té; si prefieres el té fuerte, añade dos.
3.Añadir el aceite de cannabis y remover bien.
4.Añade leche de almendras para llenar tu taza y remueve con el extracto de vainilla
5.Utilice Stevia o azúcar para endulzar su Earl Grey al gusto.
La nutrición:
76 calorías
14g Carbohidratos
2g de proteínas

Infusión de arándanos y manzana Snug

Tiempo de preparación: 10 minutos
Tiempo de cocción: 0 minutos
Porción: 1
Ingredientes:

- ½ taza de zumo de arándanos frescos

- ½ taza de zumo de manzana fresco, turbio

- ½ rama de canela

- 2 clavos enteros

- ¼ de limón, en rodajas

- 1 pizca de Stevia o azúcar, al gusto

- arándanos para decorar (opcional)

Dirección:
1.Combine todos los ingredientes en una cacerola pequeña a fuego medio.
2.Calentar hasta que hierva a fuego lento y bajar el fuego.
3.Dejar enfriar, colar la mezcla en una taza.
4.Servir con canela en rama y arándanos en una taza.
La nutrición:
88 calorías
15g de carbohidratos
3g de proteínas

Calmante estomacal

Tiempo de preparación: 5 minutos
Tiempo de cocción: 3 minutos
Porciones: 1
Ingredientes:
- Jarabe de agave, 1 cucharada.

- Té de jengibre, 0,5 c

- Té de hierbas para el alivio del estómago del Dr. Sebi

- Plátano Burro, 1

Direcciones:
1. Prepara la tisana según las **instrucciones** del envase. Déjelo a un lado para que se enfríe.

2. Una vez que el té esté frío, colócalo junto con todos los demás **ingredientes** en una licuadora. Poner en marcha la batidora y dejarla funcionar hasta que esté cremosa.

La nutrición:
Calorías 25
Azúcar 3g
Proteína 0,3g
Grasa 0,5

Jarabe de zarzaparrilla

Tiempo de preparación: 15 minutos
Tiempo de cocción: 4 horas
Porciones: 4
Ingredientes:
Azúcar de dátiles, 1 c
Raíz de sasafrás, 1 cucharada.

Raíz de zarzaparrilla, 1 c

Agua, 2 c

Direcciones:

1. En primer lugar, añade todos los **ingredientes** a un tarro de cristal. Enrosque la tapa, bien apretada, y agite todo junto. Calienta un baño de agua a 160. Introduce el tarro en el baño de agua y deja que se infusione durante unas dos o cuatro horas.

2. Cuando el tiempo de infusión esté a punto de terminar, prepara un baño de hielo. Añade mitad de agua y mitad de hielo en un bol. Saque con cuidado el tarro de cristal del baño de agua y colóquelo en el baño de hielo. Déjalo reposar en el baño de hielo de 15 a 20 minutos.

3. Cuele la infusión y póngala en otro frasco limpio.

La nutrición:
Calorías 37
Azúcar 2g
Proteína 0,4g
Grasa 0,3

Diente de león "Café"

Tiempo de preparación: 15 minutos
Tiempo de cocción: 10 minutos
Porciones: 4
Ingredientes:

- Hoja de ortiga, una pizca

- Raíz de diente de león asada, 1 cucharada.

- Agua, 24 oz.

Direcciones:

1. Para empezar, vamos a tostar la raíz de diente de león para ayudar a resaltar sus sabores. Puedes utilizar la raíz de diente de león cruda si quieres, pero la raíz tostada aporta un sabor terroso y complejo, que es perfecto para las mañanas frescas.

2. Simplemente añada la raíz de diente de león a una sartén de hierro fundido previamente calentada. Deje que los trozos se tuesten a fuego medio hasta que comiencen a oscurecerse y empiece a percibir su rico aroma. Asegúrese de no dejar que se quemen porque esto arruinará el sabor del té.

3. Mientras se tuesta la raíz, pon el agua en una olla y deja que llegue a un hervor rápido y completo. Cuando el diente de león esté tostado, añádelo al agua hirviendo con la hoja de ortiga. Déjalo reposar durante diez minutos.

4. Colar. Puedes aromatizar el té con un poco de agave si lo deseas. Disfruta.

La nutrición:
Calorías 43
Azúcar 1g
Proteína 0,2g
Grasa 0,3

Delicia de manzanilla

Tiempo de preparación: 5 minutos
Tiempo de cocción: 10 minutos
Porciones: 3
Ingredientes:

- Azúcar de dátiles, 1 cucharada.

- Leche de nueces, 0,5 c

- Té de hierbas para aliviar los nervios y el estrés del Dr. Sebi, .25 c

- Plátano Burro, 1

Direcciones:

1. Prepare el té según las **instrucciones** del paquete. Ponga a un lado y deje que se enfríe.

2. Una vez que el té se haya enfriado, añádalo junto con los **ingredientes anteriores** a una batidora y procéselo hasta que quede cremoso y suave.

La nutrición:
Calorías 21
Azúcar 0,8g
Proteína 1.0g
Grasa 0,2g

Té para la limpieza de la mucosidad

Tiempo de preparación: 10 minutos
Tiempo de cocción: 5 minutos
Raciones: 2
Ingredientes

- Lavanda azul

- Ruptura de la vejiga

- Musgo del Mar de Irlanda

Direcciones:

1. Añade el musgo marino a tu batidora. Lo mejor es que sea un gel. Asegúrese de que esté totalmente seco.

2. Poner partes iguales de la vejiga en la licuadora. De nuevo, esto sería mejor como un gel. Asegúrese de que esté totalmente seco. Para obtener los mejores resultados hay que picarlos a mano.

3. Agregue partes iguales de la verbena azul a la licuadora. Puede utilizar las raíces para aumentar su ingesta de hierro y los valores **nutricionales** de curación.

4. Procese las hierbas hasta que se forme un polvo. Esto puede llevar hasta tres minutos.

5. Coloca el polvo en una olla no metálica y ponla al fuego. Llene la olla con la mitad de agua. Asegúrese de que las hierbas estén totalmente sumergidas en el agua. Enciende el fuego y deja que el líquido hierva. No dejes que hierva más de cinco minutos.

6. Cuele con cuidado las hierbas. Puede guardarlas para utilizarlas más tarde en otras recetas.

7. Puedes añadir un poco de néctar de agave, azúcar de dátiles o zumo de lima para darle más sabor.

La nutrición:
Calorías 36
Azúcar 6g
Proteína 0,7g
Grasa 0,3g

Té inmunológico

Tiempo de preparación: 10 minutos
Tiempo de cocción: 20 minutos
Porciones: 1
Ingredientes:

- Equinácea, 1 parte

- Astrágalo, 1 parte

- Rosa mosqueta, 1 parte

- Manzanilla, 1 parte

- Flores de saúco, 1 parte

- Bayas de saúco, 1 parte

Direcciones:
1. Mezcle las hierbas y colóquelas en un recipiente hermético.

2. Cuando esté listo para preparar una taza de té, coloque una cucharadita en una bola o bolsa de té, y póngala en ocho onzas de agua hirviendo. Déjalo reposar durante 20 minutos.

La nutrición:
Calorías 39
Azúcar 1g
Proteína 2g
Grasa 0,6g

Té de jengibre y cúrcuma

Tiempo de preparación: 5 minutos

Tiempo de cocción: 15 minutos
Raciones: 2
Ingredientes:

- Zumo de una lima

- Dedo de cúrcuma, un par de rodajas

- Raíz de jengibre, un par de rodajas

- Agua, 3 c

Direcciones:

1. Vierta el agua en una olla y déjela hervir. Retira del fuego y pon la cúrcuma y el jengibre. Remover bien. Tapar la olla y dejar reposar 15 minutos.

2. Mientras esperas a que el té termine de reposar, exprime una lima y repártela en dos tazas.

3. Una vez que el té esté listo, retira la cúrcuma y el jengibre y vierte el té en tazas y disfrútalo. Si quieres el té un poco dulce, añade un poco de sirope de agave o azúcar de dátiles.

La nutrición:
Calorías 27
Azúcar 5g
Proteína 3g
Grasa 1.0g

Té tranquilo

Tiempo de preparación: 5 minutos
Tiempo de cocción: 10 minutos
Raciones: 2
Ingredientes:

- Pétalos de rosa, 2 partes

- Hierba de limón, 2 partes

- Manzanilla, 4 partes

Direcciones:

1. Vierta todas las hierbas en un tarro de cristal y agite bien para mezclarlas.

2. Cuando esté listo para preparar una taza de té, añada una cucharadita de la mezcla por cada porción a un colador, una bola o una bolsa de té. Cúbrelo con agua que haya hervido y déjalo reposar durante diez minutos.

3. Si te gusta un poco de dulzura en tu té, puedes añadir un poco de jarabe de agave o azúcar de dátiles.

La nutrición:
Calorías 35
Azúcar 3,4g
Proteínas 2,3g
Grasa 1,5g

Té de limón energizante

Tiempo de preparación: 5 minutos
Tiempo de cocción: 15 minutos
Porciones: 3
Ingredientes:

- Hierba de limón, 0,5 cucharaditas de hierba seca

- Tomillo limón, 0,5 cucharadita de hierba seca

- Verbena de limón, 1 cucharadita de hierba seca

Direcciones:

1. Coloque las hierbas secas en un colador, bolsa o bola de té y póngalas en una taza de agua que haya hervido. Déjalo reposar 15 minutos. Cuela con cuidado el té. Puedes añadir jarabe de agave o azúcar de dátiles si es necesario.

La nutrición:
Calorías 40
Azúcar 6g
Proteínas 2,2g
Grasa 0,3

Té de apoyo respiratorio

Tiempo de preparación: 5 minutos
Tiempo de cocción: 18 minutos
Porciones: 4
Ingredientes:

- Rosa mosqueta, 2 partes

- Bálsamo de limón, 1 parte

- Hojas de dactilo, 1 parte

- Gordolobo, 1 parte

- Raíz de Osha, 1 parte

- Raíz de malvavisco, 1 parte

Direcciones:

1. Poner tres tazas de agua en una olla. Coloque la raíz de Osha y la raíz de malvavisco en la olla. Deje que hierva. Deje que esto se cocine a fuego lento durante diez minutos

2. Ahora pon los **ingredientes** restantes en la olla y deja que esto repose otros ocho minutos. Cuele.

3. Bebe cuatro tazas de este té cada día.

4. Ya es casi esa época del año en la que todo el mundo sufre el temido resfriado. Entonces ese resfriado se convierte en una desagradable tos persistente. Tener estos **ingredientes a mano te ayudará a** adelantarte a la temporada de resfriados de este año. Cuando compre sus ingredientes, deben ser almacenados en frascos de vidrio. Las raíces y las hojas deben colocarse en frascos

separados. Puedes beber este té en cualquier momento, pero es ideal para cuando necesitas un apoyo respiratorio extra.

La nutrición:
Calorías 35
Azúcar 3,4g
Proteínas 2,3g
Grasa 1,5g

Té de tomillo y limón

Tiempo de preparación: 5 minutos
Tiempo de cocción: 10 minutos
Raciones: 2
Ingredientes:

- Zumo de lima, 2 cucharaditas.

- Ramitas de tomillo fresco, 2

Direcciones:

1. Colocar el tomillo en un tarro de conservas. Hierve suficiente agua para cubrir las ramitas de tomillo. Cubra el tarro con una tapa y déjelo reposar durante diez minutos. Añade el zumo de lima. Cuele con cuidado en una taza y añada un poco de néctar de agave si lo desea.

La nutrición:
Calorías 22
Azúcar 1,4g
Proteína 5.3g
Grasa 0,6g

Té para el dolor de garganta

Tiempo de preparación: 8 minutos
Tiempo de cocción: 15 minutos
Porciones: 4
Ingredientes:
- Hojas de salvia, de 8 a 10 hojas

Direcciones:

1. Coloque las hojas de salvia en un tarro de conserva de un cuarto de galón y añada agua que haya hervido hasta cubrir las hojas. Tapa el tarro y déjalo reposar durante 15 minutos.

2. Puedes utilizar esta infusión para hacer gárgaras y aliviar el dolor de garganta. Por lo general, el dolor se aliviará incluso antes de terminar la primera taza. También puede utilizarse para las inflamaciones de la garganta, las amígdalas y la boca, ya que el aceite de salvia alivia las membranas mucosas. Una dosis normal sería de tres a cuatro tazas al día. Cada vez que tomes un sorbo, hazlo rodar por la boca antes de tragarlo.

La nutrición:
Calorías 26
Azúcar 2,0g
Proteínas 7,6g
Grasa 3,2g

Té tónico de otoño

Tiempo de preparación: 10 minutos
Tiempo de cocción: 15 minutos
Raciones: 2
Ingredientes:

- Raíz de jengibre seca, 1 parte

- Rosa mosqueta, 1 parte

- Trébol rojo, 2 partes

- Raíz y hoja de diente de león, 2 partes

- Hoja de gordolobo, 2 partes

- Bálsamo de limón, 3 partes

- Hoja de ortiga, 4 partes

Direcciones:

1. Ponga todos los **ingredientes** anteriores en un bol. Remover todo junto para que se mezcle bien. Poner en un frasco de vidrio con tapa y mantenerlo en un lugar seco que se mantenga fresco.

2. Cuando quieras una taza de té, pon cuatro tazas de agua en una olla. Deje que llegue a hervir por completo. Coloque la cantidad deseada de mezcla de té en un colador, bola o bolsa de té y cúbrala con agua hirviendo. Deja que repose durante 15 minutos. Cuela las hierbas y tómalo frío o caliente. Si te gusta el té dulce, añade un poco de sirope de agave o azúcar de dátiles.

La nutrición:

Calorías 43
Azúcar 3,8g
Proteínas 6,5g
Grasa 3,9g

Salud suprarrenal y estrés

Tiempo de preparación: 12 minutos
Tiempo de cocción: 20 minutos
Raciones: 2
Ingredientes:
Fractura de la vejiga, .5 c

Albahaca santa Tulsi, 1 c

Raíz de Shatavari, 1 c

Raíz de ashwagandha, 1 c

Direcciones:

1. Ponga estos **ingredientes** en un bol. Remover bien para combinarlos.

2. Coloque la mezcla en un frasco de vidrio con tapa y guárdela en un lugar seco que se mantenga fresco.

3. Cuando quieras una taza de té, coloca dos cucharadas de la mezcla de té en una olla mediana. Vierte dos tazas de agua. Deja que llegue a hervir del todo. Baja el fuego. Deja que hierva a fuego lento durante 20 minutos. Cuela bien. Si prefieres el té dulce, puedes añadir un poco de sirope de agave o azúcar de dátiles.

La nutrición:
Calorías 43
Azúcar 2,2g
Proteínas 4,1g
Grasa 2,3g

Té de lavanda

Tiempo de preparación: 5 minutos
Tiempo de cocción: 15 minutos
Raciones: 2
Ingredientes:

- Jarabe de agave, al gusto

- Flores de lavanda secas, 2 cucharadas.

- Bálsamo de limón fresco, un puñado

- Agua, 3 c

Direcciones:

1. Vierta el agua en una olla y déjela hervir.

2. Verter sobre la lavanda y la melisa. Tapar y dejar reposar durante cinco minutos.

3. Cuela bien. Si prefiere el té dulce, añada un poco de jarabe de agave.

La nutrición:
Calorías 59
Azúcar 6,8g
Proteínas 3,3g
Grasa 1,6g

Otras recetas para diabéticos

Alitas de pollo con chile

Tiempo de preparación: 10 minutos
Tiempo de cocción: 1 hora y 10 minutos
Porciones: 4
Ingredientes:

- 2 libras de alitas de pollo
- 1/8 cucharadita de pimentón
- 1/2 taza de harina de coco
- 1/4 de cucharadita de ajo en polvo
- 1/4 de cucharadita de chile en polvo

Direcciones:

1. Precalentar el horno a 400 F/ 200 C.
2. En un recipiente, añada todos los ingredientes excepto las alas de pollo y mezcle bien.
3. Añade las alitas de pollo a la mezcla del bol, cúbrelas bien y colócalas en una bandeja de horno.
4. Hornear en el horno precalentado durante 55-60 minutos.
5. Servir y disfrutar.

La nutrición:
Calorías 440 Grasas 17,1 g, Carbohidratos 1,3 g, Azúcar 0,2 g, Proteínas 65,9 g, Colesterol 202 mg

Alitas de pollo al ajo

Tiempo de preparación: 10 minutos
Tiempo de cocción: 55 minutos
Porciones: 6
Ingredientes:

- 12 alas de pollo

- 2 dientes de ajo picados

- 3 cucharadas de ghee

- 1/2 cucharadita de cúrcuma

- 2 cucharaditas de semillas de comino

Direcciones:

1. Precalentar el horno a 425 F/ 215 C.
2. En un bol grande, mezcle 1 cucharadita de comino, 1 cucharada de ghee, cúrcuma, pimienta y sal.
3. Añadir las alas de pollo al bol y mezclar bien.
4. Extiende las alas de pollo en una bandeja de horno y métela en el horno precalentado durante 30 minutos.
5. Gire las alas de pollo hacia otro lado y hornee durante 8 minutos más.
6. Mientras tanto, calentar el ghee restante en una sartén a fuego medio.
7. Añadir el ajo y el comino a la sartén y cocinar durante un minuto.
8. Retirar la sartén del fuego y reservar.
9. Sacar las alas de pollo del horno y rociarlas con la mezcla de ghee/

10. Hornea las alitas de pollo 5 minutos más.

11. Servir y disfrutar.

La nutrición:
Calorías 378 Grasas 27,9 g, Carbohidratos 11,4 g, Azúcar 0 g,
Proteínas 19,7 g, Colesterol 94 mg

Tarta de espinacas y queso

Tiempo de preparación: 10 minutos
Tiempo de cocción: 40 minutos
Porciones: 8
Ingredientes:

- 6 huevos, ligeramente batidos
- 2 cajas de espinacas congeladas, picadas
- 2 tazas de queso cheddar rallado
- 15 oz. de requesón
- 1 cucharadita de sal

Direcciones:

1. Precalentar el horno a 375 F/ 190 C.
2. Rocíe una bandeja para hornear de 8*8 pulgadas con aceite en aerosol y resérvela.
3. En un cuenco, mezcle las espinacas, los huevos, el queso cheddar, el requesón, la pimienta y la sal.
4. Verter la mezcla de espinacas en la fuente de horno preparada y hornear en el horno precalentado durante 10 minutos.
5. Servir y disfrutar.

La nutrición:
Calorías 229 Grasas 14 g, Carbohidratos 5,4 g, Azúcar 0,9 g, Proteínas 21 g, Colesterol 157 mg

Sabroso Pollo a la Harissa

Tiempo de preparación: 10 minutos
Tiempo de cocción: 4 horas 10 minutos
Porciones: 4
Ingredientes:

- 1 libra de pechugas de pollo, sin piel y sin hueso
- 1/2 cucharadita de comino molido
- 1 taza de salsa harissa
- 1/4 de cucharadita de ajo en polvo
- 1/2 cucharadita de sal kosher

Direcciones:

1. Sazone el pollo con ajo en polvo, comino y sal.
2. Coloque el pollo en la olla de cocción lenta.
3. Vierta la salsa harissa sobre el pollo.
4. Tapar la olla de cocción lenta con la tapa y cocinar a fuego lento durante 4 horas.
5. Saque el pollo de la olla de cocción lenta y desmenúcelo con un tenedor.
6. Devuelve el pollo desmenuzado a la olla de cocción lenta y remueve bien.
7. Servir y disfrutar.

La nutrición:
Calorías 232 Grasas 9,7 g, Carbohidratos 1,3 g, Azúcar 0,1 g, Proteínas 32,9 g, Colesterol 101 mg

Setas asadas al balsámico

Tiempo de preparación: 10 minutos
Tiempo de cocción: 50 minutos
Porciones: 4
Ingredientes:

- 8 oz. de champiñones, en rodajas
- 1/2 cucharadita de tomillo
- 2 cucharadas de vinagre balsámico
- 2 cucharadas de aceite de oliva virgen extra
- 2 cebollas, cortadas en rodajas

Direcciones:

1. Precalentar el horno a 375 F/ 190 C.
2. Forrar la bandeja de horno con papel de aluminio y rociar con spray de cocina y reservar.
3. En un cuenco, añada todos los ingredientes y mézclelos bien.
4. Extienda la mezcla de setas en una bandeja de horno preparada.
5. Asar en el horno precalentado durante 45 minutos.
6. Condimentar con pimienta y sal.
7. Servir y disfrutar.

La nutrición:
Calorías 96 Grasas 7,2 g, Carbohidratos 7,2 g, Azúcar 3,3 g, Proteínas 2,4 g, Colesterol 0 mg

Zanahorias asadas al comino

Tiempo de preparación: 10 minutos
Tiempo de cocción: 45 minutos
Porciones: 4
Ingredientes:

- 8 zanahorias, peladas y cortadas en rodajas de 1/2 pulgada de grosor
- 1 cucharadita de semillas de comino
- 1 cucharada de aceite de oliva
- 1/2 cucharadita de sal kosher

Direcciones:

1. Precalentar el horno a 400 F/ 200 C.
2. Forrar la bandeja de horno con papel pergamino.
3. Añade las zanahorias, las semillas de comino, el aceite de oliva y la sal en un bol grande y remueve bien para cubrirlas.
4. Extender las zanahorias en una bandeja de horno preparada y asarlas en el horno precalentado durante 20 minutos.
5. Dar la vuelta a las zanahorias y asarlas durante 20 minutos más.
6. Servir y disfrutar.

La nutrición:
Calorías 82 Grasas 3,6 g, Carbohidratos 12,2 g, Azúcar 6 g, Proteínas 1,1 g, Colesterol 0 mg

Sabrosas y tiernas coles de Bruselas

Tiempo de preparación: 10 minutos
Tiempo de cocción: 35 minutos
Porciones: 4
Ingredientes:

- 1 libra de coles de Bruselas, cortadas por la mitad
- ¼ de taza de vinagre balsámico
- 1 cebolla, cortada en rodajas
- 1 cucharada de aceite de oliva

Direcciones:

1. Añadir agua en una cacerola y llevar a ebullición.
2. Añadir las coles de Bruselas y cocinar a fuego medio durante 20 minutos. Escurrir bien.
3. Calentar el aceite en una sartén a fuego medio.
4. Añadir la cebolla y cocinar hasta que se ablande. Añade los brotes y el vinagre, remueve bien y cocina durante 1-2 minutos.
5. Servir y disfrutar.

La nutrición:
Calorías 93 Grasas 3,9 g, Carbohidratos 13 g, Azúcar 3,7 g, Proteínas 4,2 g, Colesterol 0 mg

Verduras salteadas

Tiempo de preparación: 10 minutos
Tiempo de cocción: 15 minutos
Porciones: 4
Ingredientes:

- 1/2 taza de champiñones, cortados en rodajas
- 1 calabacín, cortado en dados
- 1 calabaza, cortada en dados
- 2 1/2 cucharaditas de condimento del suroeste
- 3 cucharadas de aceite de oliva

Direcciones:

1. En un bol mediano, bata el condimento del suroeste, la pimienta, el aceite de oliva y la sal.
2. Añadir las verduras a un bol y mezclarlas bien para cubrirlas.
3. Calentar la sartén a fuego medio-alto.
4. Añade las verduras en la sartén y saltéalas durante 5-7 minutos.
5. Servir y disfrutar.

La nutrición:
Calorías 107 Grasas 10,7 g, Carbohidratos 3,6 g, Azúcar 1,5 g, Proteínas 1,2 g, Colesterol 0 mg

Judías verdes con mostaza

Tiempo de preparación: 10 minutos
Tiempo de cocción: 20 minutos
Porciones: 4
Ingredientes:

- 1 libra de judías verdes, lavadas y recortadas
- 1 cucharadita de mostaza de grano entero
- 1 cucharada de aceite de oliva
- 2 cucharadas de vinagre de sidra de manzana
- 1/4 de taza de cebolla picada

Direcciones:

1. Cocer al vapor las judías verdes en el microondas hasta que estén tiernas.
2. Mientras tanto, en una sartén calentar el aceite de oliva a fuego medio.
3. Añadir la cebolla en una sartén y saltearla hasta que se ablande.
4. Añade el agua, el vinagre de sidra de manzana y la mostaza en la sartén y remueve bien.
5. Añadir las judías verdes y remover para cubrirlas y calentarlas.
6. Condimentar las judías verdes con pimienta y sal.
7. Servir y disfrutar.

La nutrición:
Calorías 71 Grasas 3,7 g, Carbohidratos 8,9 g, Azúcar 1,9 g, Proteínas 2,1 g, Colesterol 0 mg

Patatas fritas de calabacín

Tiempo de preparación: 10 minutos
Tiempo de cocción: 40 minutos
Porciones: 4
Ingredientes:

- 1 huevo
- 2 calabacines medianos, cortados en forma de patatas fritas
- 1 cucharadita de hierbas italianas
- 1 cucharadita de ajo en polvo
- 1 taza de queso parmesano rallado

Direcciones:

1. Precalentar el horno a 425 F/ 218 C.
2. Rocía una bandeja de horno con spray de cocina y resérvala.
3. En un bol pequeño, añadir el huevo y batirlo ligeramente.
4. En un bol aparte, mezcle las especias y el queso parmesano.
5. Pasar las patatas fritas de calabacín por el huevo y luego cubrirlas con la mezcla de queso parmesano y colocarlas en una bandeja de horno.
6. Hornee en el horno precalentado durante 25-30 minutos. Dar la vuelta a mitad de camino.
7. Servir y disfrutar.

La nutrición:
Calorías 184 Grasas 10,3 g, Carbohidratos 3,9 g, Azúcar 2 g, Proteínas 14,7 g, Colesterol 71 mg

Nuggets de brócoli

Tiempo de preparación: 10 minutos
Tiempo de cocción: 25 minutos
Porciones: 4
Ingredientes:

- 2 tazas de ramilletes de brócoli
- 1/4 de taza de harina de almendra
- 2 claras de huevo
- 1 taza de queso cheddar rallado
- 1/8 cucharadita de sal

Direcciones:

1. Precalentar el horno a 350 F/ 180 C.
2. Rocía una bandeja de horno con spray de cocina y resérvala.
3. Con el pasapurés se rompen los ramilletes de brócoli en trozos pequeños.
4. Añadir el resto de los ingredientes al brócoli y mezclar bien.
5. Colocar 20 cucharadas en la bandeja de horno y presionar ligeramente para darle forma de pepita.
6. Hornear en el horno precalentado durante 20 minutos.
7. Servir y disfrutar.

La nutrición:
Calorías 148 Grasas 10,4 g, Carbohidratos 3,9 g, Azúcar 1,1 g, Proteínas 10,5 g, Colesterol 30 mg

---

Buñuelos de calabacín y coliflor

Tiempo de preparación: 10 minutos
Tiempo de cocción: 15 minutos
Porciones: 4
Ingredientes:

- 2 calabacines medianos, rallados y exprimidos
- 3 tazas de floretes de coliflor
- 1 cucharada de aceite de coco
- 1/4 de taza de harina de coco
- 1/2 cucharadita de sal marina

Direcciones:

1. Cocer al vapor los ramilletes de coliflor durante 5 minutos.
2. Añadir la coliflor en el procesador de alimentos y procesar hasta que parezca arroz.
3. Añadir todos los ingredientes, excepto el aceite de coco, al bol grande y mezclar hasta que estén bien combinados.
4. Hacer pequeñas hamburguesas redondas con la mezcla y reservar.
5. Calentar el aceite de coco en una sartén a fuego medio.
6. Coloque las hamburguesas en una sartén y cocínelas durante 3-4 minutos por cada lado.
7. Servir y disfrutar.

La nutrición:
Calorías 68 Grasas 3,8 g, Carbohidratos 7,8 g, Azúcar 3,6 g, Proteínas 2,8 g, Colesterol 0 mg

Garbanzos asados

Tiempo de preparación: 10 minutos
Tiempo de cocción: 30 minutos
Porciones: 4
Ingredientes:

- Lata de 15 oz. de garbanzos, escurridos, enjuagados y secados con palmaditas
- 1/2 cucharadita de pimentón
- 1 cucharada de aceite de oliva
- 1/2 cucharadita de pimienta
- 1/2 cucharadita de sal

Direcciones:

1. Precalentar el horno a 450 F/ 232 C.
2. Rocía una bandeja de horno con spray de cocina y resérvala.
3. En un tazón grande, mezcle los garbanzos con aceite de oliva, pimentón, pimienta y sal.
4. Extender los garbanzos en una bandeja de horno preparada y asarlos en el horno precalentado durante 25 minutos. Remover cada 10 minutos.
5. Servir y disfrutar.

La nutrición:
Calorías 158 Grasas 4,8 g, Carbohidratos 24,4 g, Azúcar 0 g, Proteínas 5,3 g, Colesterol 0 mg

Mousse de mantequilla de cacahuete

Tiempo de preparación: 10 minutos
Tiempo de cocción: 10 minutos
Raciones: 2
Ingredientes:

- 1 cucharada de mantequilla de cacahuete
- 1 cucharadita de extracto de vainilla
- 1 cucharadita de estevia
- 1/2 taza de crema de leche

Direcciones:

1. Añadir todos los ingredientes en el bol y batir hasta que se formen picos suaves.
2. Colóquelo en los cuencos y disfrútelo.

La nutrición:
Calorías 157 Grasas 15,1 g, Carbohidratos 5,2 g, Azúcar 3,6 g, Proteínas 2,6 g, Colesterol 41 mg

Mousse de café

Tiempo de preparación: 10 minutos
Tiempo de cocción: 20 minutos
Porciones: 8
Ingredientes:

- 4 cucharadas de café preparado
- 16 oz. de queso crema, ablandado
- 1/2 taza de leche de almendras sin azúcar
- 1 taza de nata para montar
- 2 cucharaditas de stevia líquida

Direcciones:

1. Añade el café y el queso crema en una batidora y bate hasta que esté suave.
2. Añade la stevia y la leche y vuelve a batir hasta que quede suave.
3. Añadir la nata y mezclar hasta que se espese.
4. Verter en los vasos para servir y meter en el frigorífico.
5. Servir frío y disfrutar.

La nutrición:
Calorías 244 Grasas 24,6 g, Carbohidratos 2,1 g, Azúcar 0,1 g, Proteínas 4,7 g, Colesterol 79 mg

Bol de arroz salvaje y lentejas negras

Tiempo de preparación: 10 minutos
Tiempo de cocción: 50 minutos
Porciones: 4
Ingredientes:

- Arroz salvaje

- 2 tazas de arroz salvaje, sin cocer

- 4 tazas de agua de manantial

- ½ cucharadita de sal

- 2 hojas de laurel

- Lentejas negras

- 2 tazas de lentejas negras cocidas

- 1 ¾ tazas de leche de coco sin endulzar

- 2 tazas de caldo de verduras

- 1 cucharadita de tomillo seco

- 1 cucharadita de pimentón seco

- ½ de cebolla morada mediana; pelada, cortada en rodajas

- 1 cucharada de ajo picado

- 2 cucharaditas de condimento criollo

- 1 cucharada de aceite de coco

- Plátanos

- 3 plátanos grandes, cortados en trozos de ¼ de pulgada de grosor

- 3 cucharadas de aceite de coco

- Coles de Bruselas

- 10 coles de Bruselas grandes, cortadas en cuartos

- 2 cucharadas de agua de manantial

- 1 cucharadita de sal marina

- ½ cucharadita de pimienta negra molida

Direcciones:

1. Prepara el arroz: coge una olla mediana, ponla a fuego medio-alto, vierte el agua y añade las hojas de laurel y la sal.

2. Lleva el agua a ebullición, luego cambia el fuego a medio, añade el arroz y cocina durante 30-45 minutos o más hasta que esté tierno.

3. Cuando esté hecho, deseche las hojas de laurel del arroz, escurra si queda agua en la olla, retírelo del fuego y esponje con un tenedor. Reservar hasta que se necesite.

4. Mientras hierve el arroz, prepara las lentejas: coge una olla grande, ponla a fuego medio-alto y cuando esté caliente, añade la cebolla y cocínala durante 5 minutos o hasta que esté translúcida.

5. Incorpore el ajo a la cebolla, cocínelo durante 2 minutos hasta que esté fragante y dorado, luego agregue los

ingredientes restantes para las lentejas y revuelva hasta que se mezclen.

6. Llevar las lentejas a ebullición, luego cambiar el fuego a medio y cocer las lentejas a fuego lento durante 20 minutos hasta que estén tiernas, cubriendo la olla con una tapa.

7. Cuando esté hecho, retira la olla del fuego y resérvala hasta que la necesites.

8. Mientras el arroz y las lentejas se cuecen a fuego lento, prepare los plátanos: córtelos en trozos de ¼ de pulgada de grosor.

9. Tome una sartén grande, póngala a fuego medio, añada el aceite de coco y cuando se derrita, añada la mitad de los trozos de plátano y cocínelos durante 7-10 minutos por cada lado o más hasta que se doren.

10. Cuando esté hecho, transfiera los plátanos dorados a un plato forrado con toallas de papel y repita la operación con los trozos de plátano restantes; reserve hasta que los necesite.

11. Prepare las coles: vuelva a poner la sartén a fuego medio, añada más aceite si es necesario, y luego añada las coles de Bruselas.

12. Mezcle los brotes hasta que se cubran de aceite, y luego déjelos cocinar durante 3-4 minutos por lado hasta que se doren.

13. Rocíe agua sobre los brotes, cubra la sartén con la tapa y cocine durante 3-5 minutos hasta que estén al vapor.

14. Sazonar los brotes con sal y pimienta negra, remover hasta que se mezclen, y transferir los brotes a un plato.

15. Montar el bol: dividir el arroz de forma homogénea en cuatro boles y, a continuación, colocar las lentejas, los trozos de plátano y los brotes.

16. Servir inmediatamente.

La nutrición:
Calorías: 333
Carbohidratos: 49,2 gramos
Grasa: 10,7 gramos
Proteínas: 6,2 gramos

Receta de espaguetis alcalinos

Tiempo de preparación: 10 minutos
Tiempo de cocción: 30 minutos
Porciones: 4

Ingredientes:

- 1 espagueti de calabaza

- Aceite de uva

- Sal marina

- Cayena en polvo (opcional)

- Cebolla en polvo (opcional)

Direcciones:

1. Precaliente su horno a 375°f

2. Corta con cuidado los extremos de la calabaza y córtala por la mitad.

3. Saque las semillas en un bol.

4. Cubrir la calabaza con aceite.

5. Sazona la calabaza y dale la vuelta para que se hornee por el otro lado. Cuando esté bien horneada, la parte exterior de la calabaza estará tierna.

6. Deje que la calabaza se enfríe y, a continuación, utilice un tenedor para raspar el interior en un bol.

7. Añade el condimento al gusto.

8. ¡Prepare sus espaguetis alcalinos!

La nutrición:

Calorías: 672

Carbohidratos: 65 gramos

Grasa: 47 gramos

Proteínas: 12 gramos

Tartas de frutas sin lácteos

Tiempo de preparación: 15 minutos
Tiempo de cocción: 15 minutos
Raciones: 2
Ingredientes:
1 taza de crema batida de coco
½ corteza de galleta fácil (opción sin lácteos)
Ramitas de menta fresca
½ taza de bayas frescas mezcladas
Direcciones:
Engrasar dos moldes de 4" con fondo desmontable. Vierta la mezcla de shortbread en los moldes y presione firmemente en los bordes y el fondo de cada molde. Refrigere durante 15 minutos.
Afloje la corteza con cuidado para sacarla de la sartén. Distribuir la nata montada entre las tartas y repartirla uniformemente hacia los lados. Refrigere durante 1 o 2 horas para que esté firme.
Utiliza las bayas y la ramita de menta para decorar cada una de las tartas
La nutrición:
Grasa: 28,9g
Carbohidratos: 8,3g
Proteínas: 5,8g
Calorías: 306

Espaguetis con salsa de cacahuetes

Tiempo de preparación: 15 minutos
Tiempo de cocción: 15 minutos
Porciones: 4

Ingredientes:

- 1 taza de edamame cocido sin cáscara; congelado, descongelado

- Calabaza de 3 libras de espaguetis

- ½ taza de pimiento rojo en rodajas

- ¼ de taza de cebolletas, cortadas en rodajas

- 1 zanahoria mediana, rallada

- 1 cucharadita de ajo picado

- ½ cucharadita de pimienta roja triturada

- 1 cucharada de vinagre de arroz

- ¼ de taza de aminos de coco

- 1 cucharada de jarabe de arce

- ½ taza de mantequilla de cacahuete

- ¼ de taza de cacahuetes tostados sin sal, picados

- ¼ de taza y 2 cucharadas de agua de manantial, divididas

- ¼ de taza de cilantro fresco, picado

- 4 gajos de lima

Direcciones:

1. Preparar la calabaza: cortar cada calabaza por la mitad a lo largo y luego quitar las semillas.

2. Coge un plato apto para microondas, coloca las mitades de calabaza cortadas hacia arriba, rocíalas con 2 cucharadas de agua y mételas en el microondas a temperatura alta durante 10-15 minutos hasta que estén tiernas.

3. Deje que la calabaza se enfríe durante 15 minutos hasta que se pueda manipular. Utiliza un tenedor para raspar su carne a lo largo para hacer fideos, y luego deja que los fideos se enfríen durante 10 minutos.

4. Mientras la calabaza se calienta en el microondas, prepara la salsa: coge un bol mediano, añade la mantequilla en él junto con el pimiento rojo y el ajo, vierte el vinagre, los aminos de coco, el sirope de arce y el agua, y luego bate hasta que esté suave.

5. Cuando los fideos de calabaza se hayan enfriado, distribúyalos uniformemente en cuatro cuencos, coloque encima las cebolletas, las zanahorias, el pimiento y las judías edamame, y rocíe con la salsa preparada.

6. Espolvoree el cilantro y los cacahuetes y sirva cada cuenco con un trozo de lima.

La nutrición:
Calorías: 419
Carbohidratos: 32,8 gramos
Grasa: 24 gramos
Proteínas: 17,6 gramos

Pasta Alfredo de Coliflor

Tiempo de preparación: 10 minutos
Tiempo de cocción: 30 minutos
Porciones: 4
Ingredientes:

- Salsa Alfredo

- 4 tazas de floretes de coliflor, frescos

- 1 cucharada de ajo picado

- ¼ de taza de levadura **nutricional**

- ½ cucharadita de ajo en polvo

- ¾ de cucharadita de sal marina

- ½ cucharadita de cebolla en polvo

- ½ cucharadita de pimienta negra molida

- ½ cucharada de aceite de oliva

- 1 cucharada de zumo de limón, y más si es necesario para servir

- ½ taza de leche de almendras, sin endulzar

- Pasta

- 1 cucharada de perejil picado

- 1 limón, exprimido

- ½ cucharadita de sal marina

- ¼ de cucharadita de pimienta negra molida

- 12 onzas de pasta de espelta; cocida, calentada

Direcciones:

1. Coge una olla grande llena hasta la mitad con agua, ponla a fuego medio-alto y llévala a ebullición.

2. Añade los ramilletes de coliflor, cocínalos durante 10-15 minutos hasta que estén tiernos, escúrrelos bien y vuelve a ponerlos en la olla.

3. Tome una sartén mediana, póngala a fuego lento, añada aceite y cuando esté caliente, añada el ajo y cocínelo durante 4-5 minutos hasta que esté fragante y dorado.

4. Ponga el ajo en un procesador de alimentos, añada el resto de **los ingredientes** para la salsa, junto con los ramilletes de coliflor, y púlselo durante 2 ó 3 minutos hasta que esté suave.

5. Vierta la salsa en la olla, remuévala bien, póngala a fuego medio-bajo y cocínela durante 5 minutos hasta que esté caliente.

6. Añada la pasta a la olla, remuévala bien hasta que esté cubierta, pruebe para ajustar la sazón y luego cocine durante 2 minutos hasta que la pasta se caliente.

7. Repartir la pasta y la salsa en cuatro platos, sazonar con sal y pimienta negra, rociar con zumo de limón y cubrir con perejil picado.

8. Servir directamente.

La nutrición:

Calorías: 360
Carbohidratos: 59 gramos
Grasa: 9 gramos
Proteínas: 13 gramos

Sloppy Joe

Tiempo de preparación: 8 minutos
Tiempo de cocción: 12 minutos
Porciones: 4
Ingredientes:

- 2 tazas de trigo kamut o espelta, cocido

- ½ taza de cebolla blanca picada

- 1 tomate roma, cortado en dados

- 1 taza de garbanzos cocidos

- ½ taza de pimientos verdes picados

- 1 cucharadita de sal marina

- 1/8 de cucharadita de pimienta de cayena

- 1 cucharadita de cebolla en polvo

- 1 cucharada de aceite de semilla de uva

- 1 ½ tazas de salsa barbacoa, alcalina

Direcciones:

1. Enchufe un procesador de alimentos de alta potencia, añada los garbanzos y la espelta, cubra con la tapa y pulse durante 15 segundos.

2. Tome una sartén grande, póngala a fuego medio-alto, añada el aceite y cuando esté caliente, agregue la cebolla y el pimiento, sazone con sal, pimienta de cayena y cebolla en polvo, y luego revuelva hasta que estén bien combinados.

---

3. Cocinar las verduras durante 3-5 minutos hasta que estén tiernas. Añade los tomates, agrega la mezcla pulsada, vierte la salsa barbacoa y luego remueve hasta que esté bien mezclado.

4. Cocine a fuego lento durante 5 minutos, luego retire la sartén del fuego y sirva el sloppy joe con pan plano alcalino.

La nutrición:
Calorías: 333
Carbohidratos: 65 gramos
Grasa: 5 gramos
Proteínas: 14 gramos

Amaretti

Tiempo de preparación: 15 minutos
Tiempo de cocción: 22 minutos
Raciones: 2
Ingredientes:

- ½ taza de edulcorante granulado a base de eritritol

- 165 g (2 tazas) de almendras en rodajas

- ¼ de taza de edulcorante en polvo a base de eritritol

- 4 claras de huevo grandes

- Una pizca de sal

- ½ cucharadita de extracto de almendra

Direcciones:
Caliente el horno a 300° F y utilice papel pergamino para forrar 2 bandejas para hornear. Engrasa ligeramente el pergamino.
Procese el edulcorante en polvo, el edulcorante granulado y las almendras en rodajas en un procesador de alimentos hasta que parezca que son migajas gruesas.
Batir las claras de huevo con la sal y el extracto de almendras con una batidora eléctrica en un bol grande hasta que estén a punto de nieve. Incorporar la mezcla de almendras para que quede bien combinada.
Deje caer una cucharada de la masa en la bandeja para hornear preparada y deje un espacio de 2,5 cm entre ellas. Presione una almendra rebanada en la parte superior de cada galleta.
Hornear durante 22 minutos hasta que los lados se doren. Tendrán un aspecto gelatinoso cuando se saquen del horno, pero empezarán a estar firmes cuando se enfríen.
Nutrición: Grasa: 8,8g

Carbohidratos: 4,1g
Proteínas: 5,3g
Calorías: 117

Zumo de fruta verde

Tiempo de preparación: 10 minutos
Tiempo de cocción: 0 minutos
Raciones: 2
Ingredientes:

- 3 kiwis grandes, pelados y picados

- 3 manzanas verdes grandes, sin corazón y en rodajas

- 2 tazas de uvas verdes sin semillas

- 2 cucharaditas de zumo de lima fresco

Direcciones:
Añade todos los ingredientes en un exprimidor y extrae el zumo según el método del fabricante.
Verter en 2 vasos y servir inmediatamente.
La nutrición:
Calorías 304
Grasa total 2,2 g
Grasas saturadas 0 g
Proteínas 6,2 g

Puré de coles y garbanzos

Tiempo de preparación: 15 minutos

Tiempo de cocción: 12 minutos

Porciones: 1

Ingredientes:
- 1 chalote
- 3 cucharadas de ajo
- Un manojo de col rizada
- 1/2 taza de garbanzos hervidos
- 2 cucharadas de aceite de coco
- Sal marina

Direcciones:
1. Añadir un poco de ajo en aceite de oliva
2. Picar la chalota y freírla con aceite en una sartén antiadherente.
3. Cocinar hasta que la chalota se dore.
4. Añadir la col rizada y el ajo en la sartén y remover bien.
5. Añadir los garbanzos y cocinar durante 6 minutos. Añade el resto de los **ingredientes** y remueve bien.
6. Servir y disfrutar

La nutrición:

Calorías: 149

Grasa total: 8 gramos

Grasas saturadas: 1 gramo

Carbohidratos netos: 13 gramos

Proteínas: 4 gramos

Azúcares 6g

Fibra 3g

Sodio 226mg

Potasio 205mg

Quinoa y manzana

La combinación de quinoa y manzana da lugar a un plato delicioso y saciante que se puede llevar al trabajo en la fiambrera.

Tiempo de preparación: 15 minutos

Tiempo de cocción: 12 minutos

Porciones: 1

Ingredientes:

- 1/2 taza de quinoa

- 1 manzana

- 1/2 limón

- Canela al gusto

Direcciones:

1. Cocer la quinoa según las **instrucciones** del paquete.

2. Rallar la manzana y añadirla a la quinoa cocida. Cocinar durante 30 segundos.

3. Servir en un bol y rociar con lima y canela. Disfrute.

La nutrición:

Calorías 229

Grasa total: 3,2 gramos

Carbohidratos netos: 32,3 gramos

Proteínas: 6,1 gramos

Azúcares: 4,2 gramos

Fibra: 3,3 gramos

Sodio: 35,5 miligramos

Potasio: 211,8 miligramos

Ensalada tibia de Avo y Quinoa

Este es un increíble plato de quinoa alcalina que te dejará boquiabierto. Es un plato fácil que estará listo en menos de 20 minutos.

Tiempo de preparación: 5 minutos

Tiempo de cocción: 12 minutos

Porciones: 4

Ingredientes:

- 4 aguacates maduros, cortados en cuartos

- 1 taza de quinoa

- 0.9 lb. Garbanzos, escurridos

- 1 oz de perejil de hoja plana

Direcciones:

1. Poner la quinoa en una olla con 2 tazas de agua. Llevar a ebullición y cocer a fuego lento durante 12 minutos o hasta que se haya evaporado toda el agua. Los granos deben estar vidriosos e hinchados.

2. Mezclar la quinoa con todos los demás **ingredientes** y sazonar con sal y pimienta al gusto.

3. Servir con aceite de oliva y gajos de limón. Disfrute.

La nutrición:

Calorías: 354

Grasa total: 16 gramos

Grasas saturadas: 2 gramos

Carbohidratos netos: 31 gramos

Proteínas: 15 gramos

Azúcares: 6 gramos

Fibra: 15 gramos

Sodio: 226 miligramos

Potasio: 205 miligramos

Conclusión:

Espero que haya disfrutado de estas recetas tanto como yo. La vida con diabetes no debería ser dura. No es el final, sino el principio. Con una dieta saludable, puede llevar una vida libre de los efectos negativos de los niveles altos (o bajos) de azúcar en sangre.

Con los conocimientos que he compartido, ahora sabes por qué puedes haberte vuelto diabético, sabes lo que esto significa, y ahora, también sabes cómo manejarlo. Tienes recursos, aplicaciones y recetas que te ayudarán en este viaje de por vida. La comida no es tu enemigo; es tu amigo.

Cocine su camino hacia la salud y la vitalidad con estas recetas y consejos. Las cosas buenas se hacen para compartirlas, así que ayude a un amigo a conocer esta forma de vida. Llévelos a comer, hablemos de la diabetes y ayudemos a crear conciencia mientras nos damos un festín con cada deliciosa cucharada de cocina para diabéticos hecha fácilmente.

Los síntomas de advertencia de la diabetes tipo 1 son los mismos que los del tipo 2; sin embargo, en el tipo 1, estos signos y síntomas tienden a producirse lentamente a lo largo de un periodo de meses o años, lo que hace más difícil su detección y reconocimiento. Algunos de estos síntomas pueden aparecer incluso después de que la enfermedad haya progresado.

Cada trastorno tiene factores de riesgo que, cuando se encuentran en un individuo, favorecen el desarrollo de la enfermedad. La diabetes no es diferente. Estos son algunos de los factores de riesgo para desarrollar la diabetes.

Tener antecedentes familiares de diabetes

Por lo general, tener un familiar, especialmente de primer grado, puede ser un indicador de que se corre el riesgo de desarrollar diabetes. El riesgo de desarrollar diabetes es de aproximadamente el 15% si uno de los padres tiene diabetes, mientras que es del 75% si ambos padres tienen diabetes.

Tener prediabetes

Ser prediabético significa tener unos niveles de glucosa en sangre superiores a los normales. Sin embargo, no son lo suficientemente altos como para ser diagnosticados como diabetes de tipo 2. Tener prediabetes es un factor de riesgo para desarrollar diabetes de tipo 2, así como otras afecciones, como las cardíacas. Dado que la prediabetes no presenta síntomas ni signos, suele ser una afección latente que se descubre accidentalmente durante las investigaciones rutinarias de los niveles de glucosa en sangre o al investigar otras afecciones.

Ser obeso o tener sobrepeso

El metabolismo, las reservas de grasa y los hábitos alimentarios cuando se tiene sobrepeso o se está por encima del rango de peso saludable contribuyen a las vías anormales del metabolismo que lo ponen en riesgo de desarrollar diabetes tipo 2. Los resultados de las investigaciones han demostrado la relación evidente entre el desarrollo de la diabetes y la obesidad.

Tener un estilo de vida sedentario

Llevar un estilo de vida en el que la mayoría de las veces se está inactivo físicamente predispone a padecer muchas enfermedades, incluida la diabetes de tipo 2. Esto se debe a que la inactividad física hace que se desarrolle la obesidad o el sobrepeso. Además, no quemas el exceso de azúcares que ingieres, lo que puede llevarte a ser prediabético y finalmente diabético.

Tener diabetes gestacional

El desarrollo de la diabetes gestacional, que es la diabetes que se produjo debido al embarazo (y a menudo desaparece después de éste), es un factor de riesgo para desarrollar diabetes en algún momento.

Etnia

Pertenecer a determinados grupos étnicos como Oriente Medio, Asia Meridional o la India. Los estudios estadísticos han revelado que la prevalencia de la diabetes de tipo 2 en estos grupos étnicos es alta. Si perteneces a alguna de estas etnias, corres el riesgo de desarrollar tú mismo la diabetes de tipo 2.

Tener hipertensión

Los estudios han demostrado una asociación entre tener hipertensión y tener un mayor riesgo de desarrollar diabetes. Si tiene hipertensión, no debe dejarla sin controlar.

Los extremos de la edad

La diabetes puede aparecer a cualquier edad. Sin embargo, ser demasiado joven o demasiado viejo significa que su cuerpo no está en su mejor forma y, por lo tanto, esto aumenta el riesgo de desarrollar diabetes.

Eso suena aterrador. Sin embargo, la diabetes sólo se produce con la presencia de una combinación de estos factores de riesgo. La mayoría de los factores de riesgo pueden minimizarse tomando medidas. Por ejemplo, desarrollando un estilo de vida más activo, cuidando sus hábitos e intentando reducir su nivel de glucosa en sangre restringiendo su consumo de azúcar. Si empiezas a notar que eres prediabético o que tienes sobrepeso, etc., siempre hay algo que puedes hacer para modificar la situación. Estudios recientes demuestran que desarrollar hábitos alimenticios saludables y seguir dietas bajas en carbohidratos, perder el exceso de peso y llevar un estilo de vida activo puede ayudar a protegerle de desarrollar diabetes, especialmente la diabetes tipo 2, minimizando los factores de riesgo de desarrollar el trastorno. También puede hacerse una prueba de tolerancia a la glucosa oral en la que se le hará primero una prueba de glucosa en ayunas y luego se le dará una bebida azucarada y se le hará una prueba de glucosa en sangre 2 horas después para ver cómo responde su cuerpo a las comidas con glucosa. En las personas sanas, la glucosa en sangre debería volver a bajar 2 horas después de las comidas azucaradas debido a la acción de la insulina.

Otra prueba indicativa es la HbA1C. Esta prueba refleja la media de su nivel de glucosa en sangre durante los últimos 2 o 3 meses. También es una prueba para ver cómo gestionas tu diabetes.

Las personas con diabetes de tipo 1 necesitan obligatoriamente inyecciones de insulina para controlar su diabetes porque no tienen otra opción. Las personas con diabetes de tipo 2 pueden regular su diabetes con una alimentación sana y una actividad física regular, aunque pueden necesitar algunos medicamentos para reducir la glucosa que pueden ser en forma de pastillas o en forma de inyección.

Todo lo anterior va en la dirección de que hay que evitar una dieta rica en almidón por su tendencia a elevar los niveles de glucosa en sangre. Un exceso de carbohidratos puede provocar sensibilidad a la insulina y fatiga pancreática; así como un aumento de peso con todos sus factores de riesgo asociados de enfermedades cardiovasculares e hipertensión.

La solución es reducir la ingesta de azúcar, por lo tanto, disminuir la necesidad de insulina de su cuerpo y aumentar la quema de grasa en su cuerpo.

Cuando su cuerpo está bajo de azúcares, se verá obligado a utilizar una molécula posterior para quemarla como energía, en ese caso, ésta será la grasa. La quema de grasa le llevará a perder peso.

Espero que haya aprendido algo.

Lightning Source UK Ltd.
Milton Keynes UK
UKHW021853010321
379622UK00004B/689